BORÉAL-EXPRESS

Traduit de l'américain par Isabelle Reinharez

© 1986, l'école des loisirs, Paris, pour l'édition en langue française
© 1985, Chris van Allsburg
Titre de l'édition originale : «The Polar Express» (Houghton Mifflin, Boston, 1985)
Loi numéro 49 956 du 16 juillet 1949 sur les publications
destinées à la jeunesse : décembre 1987
Dépôt légal : décembre 2004
Imprimé en Italie par Grafiche AZ

BORÉAL-EXPRESS

Écrit et illustré par

CHRIS VAN ALLSBURG

L'ÉCOLE DES LOISIRS
11, rue de Sèvres, Paris 6ᵉ

Une veille de Noël, il y a bien des années, j'étais tranquillement allongé dans mon lit. Je ne froissais pas mes draps. Je respirais lentement et silencieusement. Je tendais l'oreille pour distinguer un son – que jamais je n'entendrais m'avait assuré un ami – celui des clochettes tintinnabulantes du traîneau du Père Noël.

« Le Père Noël n'existe pas », avait insisté mon ami, mais je savais qu'il se trompait.

Tard cette nuit-là, j'entendis des bruits, mais ce n'étaient pas des tintinnabulements de clochettes. De l'extérieur me parvinrent le sifflement de la vapeur et le grincement du métal. Je regardai par ma fenêtre et vis un train, parfaitement immobile, arrêté devant ma maison.

Un rideau de vapeur
l'enveloppait. Des flocons de
neige, légers, tombaient tout
autour de lui. A la porte
ouverte d'un wagon se tenait le
chef de train. Il tira une grosse
montre de gousset de sa veste,
puis leva les yeux vers ma
fenêtre. J'enfilai mes chaussons
et ma robe de chambre. Puis,
sur la pointe des pieds, je
descendis au rez-de-chaussée et
sortis.

  «En voiture!» cria le chef de
train. Je me précipitai vers lui.
  «Alors», dit-il, «tu viens?»
  «Où?» demandai-je.
  «Mais enfin, au Pôle Nord,
bien sûr», fut sa réponse.
  «Voici le Boréal-Express.»
J'attrapai sa main tendue et il
me hissa dans le train.

Le train était plein d'enfants, tous en pyjamas et en chemises de nuit. Nous chantâmes des cantiques de Noël et mangeâmes des bonbons au cœur de nougat blanc comme neige. Nous bûmes du chocolat chaud épais et riche comme des barres de chocolat fondues. Dehors, les lumières des villes et des villages clignotaient au loin tandis que le Boréal-Express fonçait vers le nord.

Bientôt on ne vit même plus
de lumières. Nous traversâmes
des forêts froides et sombres
où des loups efflanqués
rôdaient, et des lapins à la
queue blanche se cachaient à
l'approche de notre train qui
traversait dans un bruit de
tonnerre l'immensité
silencieuse.

Nous escaladâmes des montagnes si hautes qu'il nous sembla frôler la lune. Mais le Boréal-Express ne ralentissait jamais. Toujours plus vite, nous foncions, gravissant des pics et dégringolant dans des vallées comme le wagonnet des montagnes russes.

Les montagnes devinrent des collines, les collines des plaines tapissées de neige. Nous traversâmes un désert de glace – la Grande Calotte Glaciaire Polaire. Des lumières apparurent au loin. On aurait dit les lumières d'un étrange paquebot naviguant sur un océan glacé. « Voici le Pôle Nord ! » annonça le chef de train.

Le Pôle Nord. C'était une ville gigantesque qui se dressait, solitaire, au sommet du monde ; rien que des usines où se fabriquaient tous les jouets de Noël.

D'abord nous n'aperçûmes pas un seul elfe.

« Ils se rassemblent au centre de la ville », nous expliqua le chef de train. « C'est là que le Père Noël offrira le premier cadeau de Noël.»

« Qui reçoit le premier cadeau ? » demandâmes-nous tous en chœur.

Le chef de train répondit : « Il choisira l'un d'entre vous. »

«Regardez!» cria l'un des enfants, «les elfes.» Dehors nous vîmes des centaines d'elfes. Tandis que notre train se rapprochait du centre du Pôle Nord, il dut rouler au pas tant les rues fourmillaient de la foule des assistants du Père Noël. Quand le Boréal-Express se trouva bloqué, il s'arrêta et le chef de train nous laissa descendre.

Nous nous frayâmes un chemin dans la foule et atteignîmes les premiers rangs d'un large cercle. Devant nous se dressait le traîneau du Père Noël. Les rennes étaient impatients. Ils piaffaient et caracolaient sur place, secouant les clochettes d'argent attachées à leur harnais. C'était un son magique, comme je n'en avais jamais entendu. De l'autre côté du cercle, les elfes s'écartèrent et le Père Noël apparut. Les elfes l'acclamèrent.

Il avança vers nous et, me désignant, dit: «Prenons celui-ci.» Il sauta dans son traîneau. Le chef de train me souleva dans ses bras. Je m'assis sur les genoux du Père Noël qui me demanda: «Alors, que voudrais-tu pour Noël?»

Je savais que je pouvais tout demander. Mais ce que je désirais le plus au monde ne se trouvait pas dans le gigantesque sac du Père Noël. Ce que je voulais plus que tout, c'était l'une des clochettes d'argent de son traîneau. Quand je la lui demandai, le Père Noël sourit. Puis il me serra dans ses bras et chargea un elfe d'en détacher une du harnais de ses rennes. L'elfe la lança au Père Noël. Celui-ci se leva, brandit la clochette à bout de bras au-dessus de sa tête, et annonça à pleine voix : «Le premier cadeau de Noël!»

Une pendule sonna minuit, les elfes poussèrent des hourras. Le Père Noël me tendit la clochette et je la glissai dans la poche de ma robe de chambre. Le chef de train m'aida à descendre du traîneau. Le Père Noël cria le nom des rennes un par un et fit claquer son fouet. Son attelage s'élança et s'éleva dans les airs. Le Père Noël décrivit d'abord un cercle au-dessus de nos têtes, puis il disparut dans le ciel polaire noir et glacé.

Dès que nous fûmes réinstallés dans le Boréal-Express, les autres enfants demandèrent à voir la clochette. Je mis la main dans ma poche, mais je n'y rencontrai qu'un trou. J'avais perdu la clochette d'argent du traîneau du Père Noël.

«Redescendons en vitesse la chercher», proposa l'un des enfants. Mais le train s'ébranla tout à coup et se mit à rouler. Nous rentrions chez nous.

J'avais le cœur brisé d'avoir
perdu la clochette. Quand le
train atteignit ma maison,
tout triste, je laissai les autres
enfants. Je restai sur le pas de
ma porte et agitai la main
pour dire au revoir. Le chef
de train dit quelque chose au
moment où le train repartait,
mais je ne l'entendis pas.
«Quoi?» hurlai-je.

Il plaça ses mains en
porte-voix autour de sa bouche.
«JOYEUX NOEL», cria-t-il. Le
Boréal-Express déchira l'air
d'un coup de sifflet et partit à
toute vitesse.

Le matin de Noël, ma petite
sœur Sarah et moi ouvrîmes
nos cadeaux. Quand il sembla
que tout avait été déballé,
Sarah découvrit une petite
boîte derrière l'arbre. Mon
nom était inscrit dessus.
A l'intérieur, je trouvai la
clochette d'argent! Et ce mot:
« Trouvé ceci sur le siège de
mon traîneau. Recouds ce trou
à ta poche. » Signé: « P.N. »

Je secouai la clochette. Elle
rendit le son le plus
merveilleux que ma sœur et
moi ayons jamais entendu.

Mais ma mère dit: « Oh,
c'est vraiment dommage. »

« Oui », dit mon père, « elle
est cassée. »

Quand j'avais secoué la
clochette, mes parents
n'avaient rien entendu.

Au début, la plupart de mes amis entendaient la clochette, mais au fur et à mesure que passaient les années, elle se tut pour eux tous. Même Sarah, un Noël, découvrit qu'elle n'entendait plus son doux chant. Bien que je sois devenu vieux, la clochette sonne toujours pour moi, comme pour tous ceux qui y croient vraiment.